LIBERTAR
O TEMPO

PARA UMA ARTE ESPIRITUAL DO PRESENTE

JOSÉ
TOLENTINO
MENDONÇA

LIBERTAR O TEMPO

PARA UMA ARTE ESPIRITUAL DO PRESENTE

Paulinas

Dados Internacionais de Catalogação na Publicação (CIP)
(Câmara Brasileira do Livro, SP, Brasil)

Mendonça, José Tolentino
  Libertar o tempo : para uma arte espiritual do presente / José Tolentino Mendonça. – São Paulo : Paulinas, 2017.

  ISBN: 978-85-356-4325-1

  1. Conduta de vida 2. Tempo 3. Vida cristã 4. Vida espiritual I. Título.

17-06529   CDD-248.4

Índice para catálogo sistemático:
1. Tempo : Vida cristã : Cristianismo   248.4

1ª edição – 2017
4ª reimpressão – 2024

Título original da obra:
Libertar o tempo: para uma arte espiritual do presente
© José Tolentino Mendonça

Direção-geral: *Flávia Reginatto*
Editora responsável: *Vera Ivanise Bombonatto*
Copidesque: *Ana Cecilia Mari*
Coordenação de revisão: *Marina Mendonça*
Gerente de produção: *Felício Calegaro Neto*
Projeto gráfico: *Jéssica Diniz Souza*

Nenhuma parte desta obra poderá ser reproduzida ou transmitida por qualquer forma e/ou quaisquer meios (eletrônico ou mecânico, incluindo fotocópia e gravação) ou arquivada em qualquer sistema ou banco de dados sem permissão escrita da Editora. Direitos reservados.

Cadastre-se e receba nossas informações
paulinas.com.br
Telemarketing e SAC: 0800-7010081

Paulinas
Rua Dona Inácia Uchoa, 62
04110-020 – São Paulo – SP (Brasil)
📞 (11) 2125-3500
✉ editora@paulinas.com.br

© Pia Sociedade Filhas de São Paulo – São Paulo, 2017

*Se a vida não transbordar
não é vida.*

SUMÁRIO

PREFÁCIO | **9**

RESGATAR O TEMPO | **13**

PARTE 1

I A ARTE DA LENTIDÃO | **19**

II A ARTE DO INACABADO | **22**

III A ARTE DE AGRADECER O QUE NÃO NOS DÃO | **26**

IV A ARTE DO PERDÃO | **30**

V A ARTE DE ESPERAR | **33**

VI A ARTE DE CUIDAR | **37**

VII A ARTE DE HABITAR | **40**

VIII A ARTE DE OLHAR PARA A VIDA | **43**

IX A ARTE DA PERSEVERANÇA | **47**

X A ARTE DA COMPAIXÃO | **50**

XI A ARTE DA ALEGRIA | **54**

XII A ARTE DE IR AO ENCONTRO DO QUE SE PERDE | **58**

XIII A ARTE DA FELICIDADE | **62**

XIV A ARTE DA GRATIDÃO | **65**

XV A ARTE DE ESCUTAR O NOSSO DESEJO? | **69**

XVI A ARTE DE MORRER | **73**

XVII A ARTE DE NÃO SABER | **76**

PARTE 2

NOVAS BEM-AVENTURANÇAS PARA A FAMÍLIA | **81**

PREFÁCIO

É motivo de alegre e agradecida celebração a publicação de mais um livro de José Tolentino Mendonça em nosso país. Autor conhecido e querido por aqui, a publicação do precioso e adorável livro *Libertar o tempo: para uma arte espiritual do presente* acrescenta um ponto a mais na urdidura multicor de sua obra tão apreciada em terras brasileiras.

José Tolentino é padre, teólogo, biblista, escritor. E todas essas facetas de seu perfil e biografia podem ser nitidamente percebidas no livro que agora prefaciamos. O talento do escritor e a profundidade do pesquisador apaixonado dançam harmoniosamente em conjunto com a solicitude pastoral e o cuidado espiritual daqueles e daquelas que cruzam seu caminho.

É assim que o livro narra histórias, episódios, acontecimentos dos quais o autor mesmo é personagem e que afetaram seu coração, sua inteligência e sua pena. São trazidas igualmente figuras, pessoas, testemunhas que estimulam sua criatividade literária e embelezam sua narrativa.

O personagem central do livro é o tempo. Tempo, essa categoria que o Papa Francisco declarou uma e outra vez ser mais importante que o espaço. Tempo que na modernidade tardia em que vivemos é cada vez mais pressionado, urgido, desumanizado. Contra essa humanização do tempo escreve o autor este belo livro. Ou melhor, não tanto contra algo, mas a favor. A favor de uma arte espiritual: a de libertar o tempo da tirania "cronológica" para convertê-lo em *kairos* suave, profundo, pleno.

Nesse conjunto de reflexões densas e ao mesmo tempo leves, belas e agradáveis a leitores não acadêmicos ou versados nas ciências de qualquer tipo, o autor faz teologia. Uma teologia que ele mesmo adverte desde a introdução do volume desejar ser tecida por perguntas. Uma teologia que se abre para escutar as perguntas de cada tempo, de cada pessoa. Uma teologia que ao mesmo tempo interroga o tempo, pronta para construir-se em diálogo com este. Uma teologia que, fiel ao que pede o Papa Francisco, escape de sua autorreferencialidade e escute.

O autor batiza seu livro de "manual da arte de viver". Impossível título mais adequado, nome mais propício e evocativo. Pois de arte se trata, do princípio ao fim. A arte da vida, em seus diversos ângulos e variadas perspectivas. Assim saem da pena desse artista da palavra considerações sobre a lentidão, o não acabamento das tarefas, a gratidão, o perdão, a espera, o cuidado, a casa e a moradia, a contemplação e o olhar transfigurado, a perseverança, a compaixão, a alegria, o desvelo, a felicidade, a escuta do desejo, a morte, a ignorância.

Todas essas dimensões da vida que são muitas vezes como escolhos, pedras brutas onde se tropeça e resulta em ferida e chaga aparentemente incurável, são resgatadas paciente e belamente pelo autor, que as explora com sua linguagem poética e espiritual. Transfigura-se a pedra que revela aquele que é a pedra angular e redime-se o tempo com a doçura da sabedoria. Assim diz a Bíblia, da qual Tolentino é exímio conhecedor, sobre o sábio. É aquele que espera, que sofre o sofrimento, que exercita a paciência, que aceita não ver tudo, que convive com as perguntas, na escuta e no desejo do mistério.

Cerca-se o autor de uma nuvem de testemunhas, artistas do viver, que o acompanham amorosamente em sua mistagogia. Pelas páginas do livro desfilam heróis e heroínas, como Elie Wiesel, Simone Weil, Etty Hillesum; filósofos como Heidegger, Martin Buber, Kierkegaard e Levinas; teólogos como Tomás de Aquino; escritores como Milan Kundera; psicanalistas como Melanie Klein; poetas como

Rilke. E além disso os anônimos: uma amiga, um conhecido, alguém de quem ouviu falar. Pessoas. Seres humanos como ele, a quem se dirige no desejo de compartilhar sua sabedoria e sua arte.

Ao final, na segunda parte do livro, o autor sobe à montanha para proclamar novas bem-aventuranças. Seu destinatário é a família que hoje passa por tantas crises, mas que continua sendo o laboratório onde a vida se gesta e configura. Tolentino entende a família como comunidade em missão chamada à arte da hospitalidade, onde o afeto seja permanentemente criativo e eloquente, onde se pratique a gramática da gratuidade e a arte da lentidão. A casa deve ser o terreno das surpresas, onde se faz bom uso das crises e se pesquisa sem cessar a alegria.

Na arte de viver que este poeta sapiente e cheio de espírito deseja ensinar, somos todos convidados a entrar por meio da pequena joia que é este livro. Desejo a todos e todas a mais prazerosa das leituras banhada pelo sentimento de sermos bem-aventurados por havermos recebido o dom da escuta, da palavra, da linguagem por onde o sopro divino circula.

Maria Clara Lucchetti Bingemer
Teóloga, professora de Teologia Sistemático-pastoral da PUC-Rio,
pesquisadora 1ª do CNPq.

RESGATAR O TEMPO

Quem fez a primeira pergunta? Quem proferiu a primeira palavra? Quem chorou pela primeira vez? Por que é tão quente o sol? Por que se morre? Por que se ama? Por que há o som e o silêncio? Por que há o tempo? Por que há o espaço e o infinito? Por que existo eu? Por que existes tu? – um dia, a escritora Clarice Lispector criou uma lista interminável só com perguntas assim. Há um momento em que percebemos que as perguntas nos deixam mais perto do sentido, do aberto do sentido, do que as respostas. Que as respostas são úteis sim, que precisamos delas para continuar vivendo, mas que a vida transforma as próprias respostas em perguntas. E não perguntamos necessariamente por nos termos enganado ou por considerarmos insuficiente a experiência que fazemos. Há uma pergunta que brota da escassez e do desejo, mas há outra que nasce da plenitude. Como se a pergunta fosse o tracejado que liga o instante do agora àquilo que é desde sempre, e une a simples parte que enxergamos à totalidade que não chegamos a ver e da qual só nos podemos abeirar em interrogação e espanto.

"Eu sou uma pergunta", dizia Clarice. Mesmo se vivemos rodeados de perguntas, as mais preciosas são, porventura, aquelas que em silêncio nos acompanham desde o princípio, aquelas que se confundem com o que somos, como o espinho no troço da rosa ou como a rosa que, sem sabermos como, floresce no cimo improvável daquela sucessão de espinhos. Deveríamos dedicar mais tempo a escutar essas perguntas que pulsam no nosso interior, tantas vezes atropeladas pela vertigem, omitidas pelo pragmatismo ou pelo medo, adiadas para um momento ideal que depois nunca é. De entre os défices que depois mais nos pesam, está essa carência de escuta interna, que evitamos por ser uma prática dolorosa, mas sem a qual também não conheceremos essa espécie de alegria irreprimível, à maneira da que se prova num parto.

A teologia mais útil é aquela tecida por perguntas. Uma teologia sobressaltada, revirada, esvaziada, ampliada, qualificada, iluminada pela força das perguntas que acolhe. O Papa Francisco tem razão ao lembrar que o grande fracasso da teologia é a autorreferencialidade. A teologia não deve atravessar o tempo distribuindo mecanicamente respostas. A teologia é chamada a escutar a pergunta de cada tempo, de cada pessoa. É chamada a ampliá-la até o infinito. E a permanecer fiel aos pontos de partida. Um modo de libertar o tempo é também interrogá-lo.

Fico muito feliz com a publicação deste pequeno "manual da arte de viver" junto do público brasileiro, por quem o meu afeto tem crescido enormemente nos últimos anos. Desejaria muito que este volume fosse acolhido como etapa de uma relação dialógica, onde tenho aprendido tanto.

José Tolentino Mendonça

PARTE 1

I
A ARTE DA LENTIDÃO

TALVEZ PRECISEMOS voltar a essa arte tão humana que é a lentidão. Os nossos estilos de vida parecem irremediavelmente contaminados por uma pressão que não dominamos; não há tempo a perder; queremos alcançar as metas o mais rapidamente que formos capazes; os processos desgastam-nos, as perguntas atrasam-nos, os sentimentos são um puro desperdício: dizem-nos que temos de valorizar resultados, apenas resultados. À conta disso, os ritmos de atividade tornam-se impiedosamente inaturais.

Cada projeto que nos propõem é sempre mais absorvente e tem a ambição de sobrepor-se a tudo. Os horários avançam impondo um recuo da esfera privada. E mesmo estando aí, é necessário permanecer contatável e disponível a qualquer momento. Passamos a viver num *open space*, sem paredes nem margens, sem dias diferentes dos outros, sem rituais reconfiguradores, num contínuo obsidiante, controlado ao minuto. Damos por nós ofegantes, fazendo por fazer, atropelados por agendas e jornadas sucessivas que nos fazem sentir que já amanhecemos atrasados. Deveríamos, contudo, refletir sobre o que perdemos, sobre o que vai ficando para trás, submerso ou em surdina, sobre o que deixamos de saber quando permitimos que a aceleração nos condicione desse modo. Com razão, num magnífico texto intitulado "A lentidão", Milan Kundera escreve: "Quando as coisas acontecem depressa demais, ninguém pode ter certeza de nada, de coisa nenhuma, nem de si mesmo". E explica, em seguida, que o grau de lentidão é diretamente proporcional à intensidade da memória, enquanto o grau de velocidade é diretamente proporcional ao do esquecimento. Quer dizer: até a impressão de domínio das várias frentes, até essa empolgante sensação de onipotência que a pressa nos dá é fictícia. A pressa condena-nos ao esquecimento.

Passamos pelas coisas sem as habitar, falamos com os outros sem os ouvir, juntamos informação que nunca chegamos a aprofundar. Tudo transita num galope ruidoso, veemente e efêmero. Na verdade, a velocidade com que vivemos impede-nos de viver. Uma alternativa será resgatar a nossa relação com o tempo. Por tentativas, por pequenos passos. Ora, isso não acontece sem um abrandamento interno. Precisamente porque a pressão de decidir é enorme, necessitamos de uma lentidão que nos proteja das precipitações mecânicas, dos gestos cegamente compulsivos, das palavras repetidas e banais. Precisamente porque nos temos de desdobrar e multiplicar, necessitamos reaprender o aqui e o agora da presença, reaprender o inteiro, o intacto, o concentrado, o atento e o uno.

Mesmo que a lentidão tenha perdido o estatuto nas nossas sociedades modernas e ocidentais, ela continua a ser um antídoto contra a rasura normalizadora. A lentidão ensaia uma fuga ao quadriculado; ousa transcender o meramente funcional e utilitário; escolhe mais vezes conviver com a vida silenciosa; anota os pequenos tráficos de sentido, as trocas de sabor e as suas fascinantes minúcias, o manuseamento diversificado e tão íntimo que pode ter luz.

II
A ARTE DO INACABADO

É-NOS DITO E REPETIDO que o tempo bem aproveitado é um contínuo, tendencialmente ininterrupto, que devemos esticar e levar ao limite. A maioria de nós vive nessa linha de fronteira, em esforçada e insatisfeita cadência, desejando, no fundo, que a vida seja o que ela não é: que as horas do dia sejam mais e maiores, que a noite não adormeça nunca, que os fins de semana cheguem para salvar-nos a face diante de tudo o que fica adiado.

Quantas vezes nos vemos concordando automaticamente com o lugar-comum: "precisava que o dia tivesse quarenta e oito horas" ou "precisava de meses de quarenta dias". Desconfio que não seja isso exatamente o que precisamos. Bastaria, aliás, reparar nos efeitos colaterais das nossas vidas sobreocupadas, no que fica para trás, no que deixamos por dizer ou acompanhar. Sem darmos bem conta, à medida que os picos de atividade se agigantam, as nossas casas vão-se assemelhando a casas devolutas, esvaziadas de verdadeira presença; a língua que falamos torna-se incompreensível como uma língua sem falantes no mundo mais próximo; e mesmo que habitemos a mesma geografia e as mesmas relações, parece que, de repente, isso deixou de ser para nós uma pátria e tornou-se uma espécie de terra de ninguém.

O ponto de sabedoria é aceitar que o tempo não estica, que ele é incrivelmente breve e que, por isso, temos de vivê-lo com o equilíbrio possível. Não nos podemos iludir com a lógica das compensações: que o tempo que roubamos, por exemplo, às pessoas que amamos, procuraremos devolvê-lo de outra maneira, organizando um programa ou comprando-lhes isto e aquilo; ou que o que retiramos ao repouso e à contemplação vamos tentar compensar em férias extravagantes. A gestão do tempo é uma aprendizagem que, como indivíduos e como sociedade, precisamos fazer.

Nisso do tempo, por vezes é mais importante saber acabar do que começar, e mais vital suspender do que continuar. Lembro-me de que, durante anos, numa casa em que vivi, ouvia diariamente o varredor de rua limpar as folhas caídas do grande lódão, por baixo da minha janela. Ele chegava por volta da 1 da manhã, mais coisa menos coisa. A música da sua vassoura era uma chamada a concluir e a recolher-me. Também eu precisava varrer a minha dispersão e apagar a luz até o dia seguinte. Mas até esse exercício de interromper um trabalho para passar ao repouso não nos é fácil, pelo menos em certa idade. Isso implica, não raro, um exercício de desprendimento e de pobreza. Aceitar que não atingimos todos os objetivos que nos tínhamos proposto. Aceitar que o lugar aonde chegamos é ainda uma versão provisória, inacabada, cheia de imperfeições. Aceitar que nos faltam as forças, que há uma frescura de pensamento que não obtemos mecanicamente pela mera insistência. Aceitar porventura que amanhã teremos de recomeçar do zero e pela enésima vez.

Creio que o momento de viragem acontece quando olhamos de outra forma para o inacabado, não apenas como indicador ou sintoma de carência, mas como condição inescusável do próprio ser. Ser é habitar, em criativa continuação, o seu próprio inacabado e o do mundo. O inacabado liga-se, é verdade, com o vocabulário da vulnerabilidade, mas também (e eu diria, sobretudo) com a experiência de reversibilidade e de reciprocidade. A vida de cada um de nós não se basta a si mesma: precisaremos sempre do olhar do outro, que é um olhar o outro, que nos mira de um outro ângulo, com uma outra perspectiva e outro humor. A vida só por intermitências se resolve individualmente, pois o seu sentido só se alcança na partilha e no dom.

III
A ARTE DE AGRADECER O QUE NÃO NOS DÃO

O MAIS COMUM É AGRADECER o que nos foi dado. E não nos faltam motivos de gratidão. Há, é claro, imensas coisas que dependem do nosso esforço e engenho, coisas que fomos capazes de conquistar ao longo do tempo, contrariando mesmo o que seria previsível, ou que nos surgiram ao fim de um laborioso e solitário processo. Mas isso em nada apaga o essencial: as nossas vidas são um receptáculo do dom. Por pura dádiva, recebemos o bem mais precioso, a própria existência, e do mesmo modo gratuito fizemos e fazemos a experiência de que somos protegidos, cuidados, acolhidos e amados. Se tivéssemos de fazer a listagem daquilo que recebemos dos outros (e é pena que esse exercício não nos seja mais habitual), perceberíamos que somos, em muitos sentidos, uma obra dos outros. Todos somos. A nossa história começou antes de nós e persistirá depois. Somos o resultado de uma cadeia inumerável de encontros, gestos, boas vontades, sementeiras, afagos, afetos. Colhemos inspiração e sentido de vidas que não são nossas, mas que se inclinam pacientemente para nós, iluminando-nos, fundando-nos na confiança. Esse movimento, sabemo-lo bem, não tem preço, nem se compra em parte alguma: só se efetiva através do dom. Por isso é que quando ele falta, a sua ausência indelével faz-se sentir a vida inteira. O seu lugar não consegue ser preenchido, mesmo se abunda uma poderosa indústria de ficções de todo tipo com a inútil pretensão de ser oblívio e substituição para essa espécie de falha geológica que nos morde.

Hoje, porém, dei comigo a pensar também na importância do que não nos foi dado. E a provocação chegou-me por uma amiga que confidenciou: "Gosto de agradecer a Deus tudo o que ele me dá, e é sempre tanto que nem tenho palavras para descrever. Sinto, contudo, que lhe tenho de agradecer igualmente o que ele não me dá, as coisas que seriam boas e que eu não tive, o que até pedi e desejei muito, mas não encontrei. O fato de não me ter sido dado obrigou-me a descobrir forças que não sabia que tinha e, de certa maneira, permitiu-me ser eu". Isso é tão verdadeiro. Mas exige uma transformação radical na nossa atitude interior.

Tornar-se adulto por dentro não é propriamente um parto imediato ou indolor. No entanto, enquanto não agradecermos a Deus, à vida ou aos outros o que não nos deram, parece que a nossa prece permanece incompleta. Podemos facilmente continuar pela vida a dentro nutrindo o ressentimento pelo que não nos foi dado, comparando-nos e considerando-nos injustiçados, pranteando a dureza daquilo que em cada estação não corresponde ao que idealizamos. Ou podemos olhar o que não nos foi dado como a oportunidade, ainda que misteriosa, ainda que ao inverso, para entabular um caminho de aprofundamento... e de ressurreição.

Foi assim que numa das horas mais sombrias do século XX, no interior de um campo de concentração, a escritora Etty Hillesum conseguiu, por exemplo, protagonizar uma das mais admiráveis aventuras espirituais da contemporaneidade. No seu diário deixou escrito: "A grandeza do ser humano, a sua verdadeira riqueza, não está naquilo que se vê, mas naquilo que traz no coração. A grandeza do homem não lhe advém do lugar que ocupa na sociedade, nem do papel que nela desempenha, nem do seu êxito social. Tudo isso pode ser-lhe tirado de um dia para o outro. Tudo isso pode desaparecer num nada de tempo. A grandeza do homem está naquilo que lhe resta precisamente quando tudo o que lhe dava algum brilho exterior, se apaga. E que lhe resta? Os seus recursos interiores e nada mais".

IV
A ARTE DO PERDÃO

PODE PARECER ESTRANHO, mas a dada altura agarramo-nos à dor como se ela fosse um heroísmo e pomo-nos a expor feridas como quem exibe condecorações. O nosso desígnio, inconfessado, mas claríssimo, passa a ser atravessar a vida (e o que nos resta dela) com o estatuto de vítima. A nossa cabeça de pessoas crescidas é complicada. Descobrimos que há um prazer em listar achaques e traições, e se a minha chaga puder ser maior do que a sua tanto melhor, isso reforça o meu estatuto. A verdade é que, se não tomarmos atenção, a desgraça íntima torna-se um escanzelado pódio onde nos blindamos.

Penso que uma viragem se opera quando aceitamos perceber que todos somos vulneráveis. É fácil reproduzir um esquema dialético em que somos a vítima e o outro agressor, e esquecer que ele também é atravessado pelo sofrimento. De fato, não raro, a agressão é uma linguagem desviada para exprimir ou para dissimular a condição de vítima. Um necessário caminho é reconhecer que naqueles que nos ferem (ou feriram) há também bloqueios, mazelas e opacos novelos. Se não nos amaram, não foi necessariamente por um ato deliberado, mas por uma história porventura ainda mais sufocada do que a nossa. Não se trata de desculpabilização, mas de reconhecer que naquele que não me fez justiça ou não me devolveu a cordialidade que investi existe alguém provado pelo limite. E que a ferida agora acesa não se destinava a mim especificamente: era um magma de violência à deriva, à beira de estalar.

Todos precisamos de perdão. O perdão instala um corte positivo, interrompe a baba inútil da tristeza, essa maceração que nos faz infelizes e nos leva a esmagar os outros de infelicidade. Tão facilmente ficamos atolados em becos cegos, em círculos sem saída, reféns de uma amargura que cada vez vai sendo mais pesada e contamina inexoravelmente a vida. O ato de perdão é uma declaração unilateral de esperança. O perdão não é um acordo. Se me quedo à espera de que aquele que me oprimiu venha ao meu encontro arrancar-me da mágoa, posso esperar sentado. O perdão é esse gesto unilateral que recusa dar voz à vingança e crê que por detrás daquele que me feriu há ainda um ser humano vulnerável, mas capaz de mudar. Perdoar é crer na possibilidade de transformação, a começar pela minha.

Muitas vezes aproveitamos a dor para nos instalarmos nela. Preferimos ficar esgaravatando na ferida, comendo diariamente o pão velho da própria maldade, em vez de termos sede de beleza, desejo de outra coisa. Parece que aquilo que aconteceu (e de mal, ainda por cima) saciou-nos completamente. As ofensas recebidas revelam-nos um duro e irônico retrato de nós. Ora, para perdoar é preciso ter uma furiosa e paciente sede do que (ainda) não há. O perdão começa por ser uma luzinha. E é bom insistir e esperar. O sol não brota de repente. Essa demora é uma condição da sua verdade.

Li estes dias um conto extraordinário da escritora Alice Munro, Prêmio Nobel de 2013. Gostaria de o recuperar para o último parágrafo deste texto. Diz a narradora: "Não fui a casa durante a última doença da minha mãe, nem ao seu funeral. Tinha dois filhos pequenos e ninguém com quem os deixar em Vancouver. Mal tínhamos dinheiro para a viagem, e o meu marido sentia desprezo por tudo o que fossem comportamentos formais, mas por que culpá-lo? Eu pensava o mesmo. Dizemos que certas coisas não têm perdão – ou que nunca nos perdoaremos a nós próprios. Mas perdoamos, fazemo-lo a todo o momento".

V
A ARTE DE ESPERAR

ESTAVA AQUI lendo uma entrevista do grande fotógrafo Sebastião Salgado, em que se faz o elogio de um prazer inusual: o prazer de esperar. E não é que ele tenha quaisquer ilusões sobre a distância a que estamos desse prazer culturalmente interdito: "Vivemos hoje num acelerador de partículas, num clima de permanente expectativa"; temos uma dificuldade, que nos chega a parecer insuperável, de mergulhar na lentidão e na gratuidade dos processos humanos autênticos, por mais excepcionais e cotidianos que sejam. Mas garante Salgado: "Para fazer uma fotografia, é mesmo necessário experimentar o prazer de esperar". Lembro-me, a esse propósito, de uma história de Federico Fellini que ouvi contar a Tonino Guerra: um dos hábitos do cineasta era chegar a qualquer encontro um bom bocado antes da hora aprazada, fosse a uma reunião de trabalho ou a um jantar de amigos. Chegava ao lugar e punha-se a fazer hora, caminhando prazenteiro e sem dar sinais de coisa alguma ao longo da rua, para lá e para cá.

Quando os amigos o surpreendiam nisso e lhe perguntavam por que não tinha tocado à porta imediatamente, a resposta era semelhante à do fotógrafo: "O prazer de esperar". A nossa cultura, que mitifica (ingenuamente) a eficácia e o utilitarismo, há muito cancelou o valor da espera. Os prazos sôfregos que incorporamos consideram-na um atraso de vida, uma excrescência irritante, bota de elástico e obsoleta. Esperar por quê? Do pronto a vestir ao pronto a comer, da comunicação em tempo real ao experimentalismo instantâneo dos afetos: a espera tornou-se um peso morto com o qual não sabemos lidar e que é preciso descarregar borda afora. Talvez esse desejo de instantaneidade seja em nós um dissimulado reflexo defensivo, o medo crescente de que num mundo acelerado não exista afinal ninguém nem coisa nenhuma que nos espere. Quando todos vivem altamente pressionados, tudo se torna arriscadamente precário – é o que vamos constatando. Mas por dentro, e com medo, e sem falar disso.

Damos por nós hipermodernos, polivalentes, aparelhados de tecnologia como uma central ambulante, multifuncionais mas sempre mais dependentes, perfeccionistas mas sempre insatisfeitos, vivendo as coisas sem poder refleti-las, próximos da atividade extenuante e, no fundo, distantes da criação. Precisaríamos talvez dizer a nós próprios e uns aos outros que esperar não é necessariamente uma perda de tempo. Muitas vezes é o contrário. É reconhecer o seu tempo, o tempo necessário para ser; é tomar o tempo para si, como lugar de maturação, como oportunidade reencontrada; é perceber o tempo não apenas como enquadramento do sentido, mas como formulação em si mesma significativa. Quem não aceitar, por exemplo, a impossibilidade de satisfação imediata de um desejo, dificilmente saberá o que é um desejo (ou, pelo menos, o que é um grande desejo). Quem não esperar pacientemente pelas sementes que lançar, jamais provará a alegria de vê-las florir.

No que aos tempos respeita, a vida é completamente artesanal. Não é possível reproduzi-la em série, nem encontrá-la feita noutro lado. A vida requer a paciência do oleiro, que, para fazer um vaso que o satisfaça, produz duzentos só para treinar o gesto, a habilidade, testando a sua ideia. Por isso, gosto muito da forma bem-humorada como Edgar Morin explica todas essas coisas. Diz ele: "Como toda a gente, tenho um horror total às esperas nos correios ou nos consultórios e não suporto as filas burocráticas a que nos obrigam. Contudo, não cesso de esperar o inesperado".

VI
A ARTE DE CUIDAR

INTERESSOU-ME MUITO a história do fotógrafo japonês Tatsumi Orimoto e as saudáveis provocações que ele transporta. Primeiro, em relação ao significado da própria prática artística. Hoje, a crise econômica praticamente paralisou o chamado "mercado" da arte, mas é dentro dessa bolha cultural que ainda nos encontramos: o valor da arte (e por vezes também o seu significado) tem estado dependente do dinheiro que alguém esteja disposto a pagar. Os objetos artísticos tornaram-se mercadoria, com um circuito em nada diferenciado dos outros ramos do comércio. Tentativas diferentes de resistência têm sido ensaiadas, atacando essa arte sacralizada pelas agências de leilões. Quando a arte limita a sua vocação ao estatuto de mercadoria, é necessário que irrompam movimentos antiarte.

Foi o caso do "Fluxus", um movimento bastante ativo nas décadas de 60 e 70 do século XX, cujo programa não era apenas introduzir o cotidiano na arte mas dissolvê-la aí. Numa operação propositadamente blasfema, propunha-se que a arte se purificasse de todo pretensiosismo, abraçasse os temas triviais, se tornasse ela própria bem mais simples e recusasse qualquer tipo de valorização comercial ou institucional.

Tatsumi Orimoto colaborou de perto com alguns dos irrequietos ativistas do "Fluxus", com destaque para esse grande "rebelde com causa" que foi Joseph Beuys. O que é a prática artística para Orimoto? É uma ação comunicativa inseparável da vida. É uma forma de acompanhar e cuidar dos outros, especialmente dos mais fracos. E surge aqui a oportunidade para referir outro tabu que o fotógrafo desfaz. As nossas sociedades são aglomerados de filhos que não sabem o que fazer com os pais, que olham para a velhice como um obstáculo e um atraso, que fazem tudo para ocultar a vulnerabilidade, sem recursos interiores para dialogar com ela.

Certas doenças são vistas apenas como um fim antecipado, precipitadamente confirmado pelo isolamento a que os idosos são votados. A mãe de Tatsumi Orimoto sofre de depressão e Alzheimer, padece de surdez quase total, é incapaz de cuidar de si, tem continuamente um rosto inexpressivo (se é que isso existe), como se as suas capacidades sensoriais tivessem sido sequestradas. O fotógrafo decide, então, que o seu dever e a sua arte passariam a ser uma coisa só: cuidar da mãe. Surge assim o seu projeto "Art Mama", em que reflete sobre a maternidade, a doença, os laços familiares e, sobretudo, sobre as formas de relação com a alteridade, quando o outro está como que perdido nos imperscrutáveis labirintos da dor e da memória. A intimidade concretizada no cuidado à mãe serve a Orimoto para desenvolver uma arte que é profundamente crítica em relação às prioridades, aos cânones de beleza, aos modelos de felicidade do mundo contemporâneo. Nas suas fotografias, ele dá a ver o mundo dos idosos, esse humaníssimo mundo onde os direitos são relativizados e sobre o qual recaiu uma condenação de invisibilidade.

A metáfora visual que os seus rostos desprotegidos desenham recoloca-nos perante perguntas essenciais. E a verdade é que precisamos mais de uma arte que (nos) faça perguntas do que de uma indústria para decorar paredes.

VII
A ARTE DE HABITAR

NUMA CENA DO FILME *Caro diário*, Nanni Moretti ziguezagueia por Roma, montado na sua vespa, tirando partido dos dias de verão, quando a cidade está praticamente vazia. E contempla uma por uma casas de que gosta, porque a coisa que lhe agrada mais – como ele confessa – é olhar as casas, penetrar nos bairros e imaginar como seria habitar ali. Até que essas derivas o levam a uma zona de construção recente nos arredores, pejada de condomínios completamente blindados e vivendas guardadas por câmaras de vigilância e grades. Moretti salta da vespa e vai perguntar a um dos moradores por que decidiu viver ali, mas este não tem bem uma resposta. Oferece a si próprio apenas balbucios, desculpas... Lembro-me muitas vezes desse filme como de um elogio ao habitar, coisa tão séria e que é e não é só assunto de casas.

Martin Heidegger, por exemplo, construiu o seu projeto filosófico baseando-se no habitar e descreve-o assim: existir como humanos corresponde fundamentalmente ao habitar. "Eu sou", "tu és" significa "eu habito", "tu habitas". O ser humano realiza-se, portanto, à medida que habita. E o que é o habitar? Habitar, explica Heidegger, quer dizer "proteger e cultivar".

As casas são uma máquina de habitar, é certo, e desempenham um papel-chave na construção da nossa experiência humana. Mas todas as casas falam, pela presença ou pela ausência, de outra coisa que está para lá delas. Falam disso que um humano é, matéria ao mesmo tempo sucinta e imensa, de fazer espanto. Falam do conhecimento que só é verdadeiro se alojar em si a consciência do que ignora hoje e ignorará até o fim.

Falam da luta pela sobrevivência, com a sua rudeza, a sua dor e tumulto, mas também da excedência que experimentamos, porque se a vida não transbordar não é vida. Falam da intimidade, aquém e além da pele. Falam do silêncio e da palavra, que umas vezes se contradizem e outras não. Falam do cumprido e do adiado, do sono e da vigília, do fraterno e do oposto, da ferida e do júbilo, da vida e da morte.

Habitar, dizia Heidegger, significa "proteger e cultivar". O filósofo recorre a uma citação do texto bíblico sobre as origens: "O Senhor Deus levou o homem e colocou-o no jardim do Éden, para que o cultivasse e o protegesse" (Gênesis 2,15). Cultivar remete-nos, assim, para o modo como a natureza se transforma com a nossa atividade.

Os outros seres vivos que estão sobre a terra também a transformam, claro, mas o "cultivo" estabelece a ação humana num patamar diverso: o *homo* agrícola que somos tem primeiro de compreender e preparar a terra, conjugando-se com ela para projetá-la em modos novos que o favoreçam. Mas o ser humano é chamado não só a cultivar mas também a proteger.

Isto é: não apenas a servir-se da vida para poder viver, mas também a cuidar dos outros viventes e, nesse sentido, de toda a vida que encontra. Heidegger afirma-o decididamente: "O traço fundamental do habitar é o cuidar". Que há um défice de cuidado, que precisamos, como sociedade e como sujeitos, redescobrir essa palavra, qualquer ziguezaguear mais atento nos revela.

Preferimos, no entanto, impermeabilizar a vida. Por alguma razão, a dor dos outros, essa que erradamente julgamos que não é nossa, chega até nós numa língua estranha. Parece-nos impenetrável, mesmo quando esbarramos sucessivamente com ela. Não admira que o nosso habitar seja tão confuso.

VIII
A ARTE DE OLHAR PARA A VIDA

A DADA ALTURA PERCEBEMOS que o mais importante não é saber se a vida é bela ou trágica, se, feitas as contas, ela não passa de uma paixão irrisória ou se a cada momento se revela uma empresa sublime. Certamente nos está reservada a possibilidade de a tomar em cada um desses modos, só distantes e contraditórios na aparência. A mistura de verdade e sofrimento, de pura alegria e cansaço, de amor e solidão que no seu fundo misterioso a vida é, há de aparecer-nos nas suas diversas faces. Se as soubermos acolher, com a força interior que pudermos, essas representarão para nós o privilégio de outros tantos caminhos. Mas o mais importante nem é isso, aprendemos depois. Importante mesmo é saber, com uma daquelas certezas que brotam inegociáveis do fundo da própria alma, se estamos dispostos a amar a vida como esta se apresenta.

A dada altura compreendemos que falar sobre o ar, como faz o poeta Tonino Guerra, não tem de ser uma deriva, mas um chamamento à construção concreta que a vida é, confirmada (ou não) pelo nosso sim: "O ar é esta coisa ligeira/ que te gira em torno à cabeça/ e torna-se mais clara/ quando ris". Ou que, quando Simone Weil repete que "a atenção é uma prece", ela mais não faz do que mobilizar-nos para a aliança com o agora, porque, se não formos prudentes e generosos para manter os olhos maximamente abertos sobre o presente, que ciência poderá o futuro constituir para nós? O viver tem essa simplicidade, que precisamos redescobrir, despojando-nos do muito que nos atravanca, relançando-nos no seu obstinado fluxo. Estamos muitas vezes alienados da vida, separados dela por uma muralha de discursos, de angústias, de confusas esperanças. Precisamos perfurar esse muro até o fim.

É necessário decidir, portanto, entre o amor ilusório à vida, que nos faz adiá-la perenemente, e o amor real, mesmo que ferido, com que a assumimos. Entre amar a vida hipoteticamente pelo que dela se espera ou amá-la incondicionalmente pelo que ela é, muitas vezes em completa impotência, em pura perda, em irresolúvel carência. Condicionar o júbilo pela vida a uma felicidade sonhada é já renunciar a ele, porque a vida é decepcionante (não temamos a palavra). Com aquela profunda lucidez espiritual que por vezes só os homens frívolos atingem, Bernard Shaw dizia que na existência há duas catástrofes: a primeira, quando não vemos os nossos desejos realizarem-se de forma alguma; a segunda, quando se realizam completamente. Há um trabalho a fazer para passar do apego narcisista a uma idealização da vida, à hospitalidade da vida como ela nos assoma, sem mentira e sem ilusão, o que requer de nós um amor muito mais rico e difícil. Esse que é, em grande medida, um trabalho de luto, um caminho de depuração, sem renunciar à complexidade da própria existência, mas aceitando que não se pode demonstrá-la inteiramente. A vida é o que permanece, apesar de tudo: a vida embaciada, minúscula, imprecisa e preciosa como nenhuma outra coisa.

A sabedoria é a vida mesma: o real do viver, a existência não como trégua, mas como pacto, conhecido e aceite na sua fascinante e dolorosa totalidade. Não se trata apenas de viver o instante, tarefa inútil, pois a vida é duração. Aquilo que nos é dado dura, e nós dentro dele, com ele, por ele. Não é a flor do instante que nos perfuma, mas o presente eterno do que dura e passa, do que dura e não passa.

E quando é que chega a hora da felicidade?, perguntamo-nos. Chega nesses momentos de graça em que não esperamos nada. Como ensina o magnífico dito de Angelus Silesius, o místico alemão do século XVII: "A rosa é sem por quê, floresce por florescer/ Não se preocupa consigo, não pretende nada ser vista".

IX
A ARTE DA PERSEVERANÇA

O QUE SIGNIFICARÁ fazer o elogio da perseverança quando ela parece ter sido simplesmente erradicada do léxico cultural corrente, ao mesmo tempo que assistimos ao triunfo de juveníssimas palavras como "flexibilidade", "mobilidade", "eventualidade" ou "negociação"? Por gerações, a perseverança indicou uma prática de vida, o estilo moral de quem se mantém fiel ao seu caminho e às suas convicções, sabendo que isso tem um custo previsível: a turbulência e a aspereza das viagens de verdade. A perseverança queria dizer não abandonar a meio a obra começada, mas insistir com todas as forças para levá-la a cumprimento. Nesse sentido, a perseverança funcionava como uma espécie de laboratório experimental da esperança, pois não se tratava apenas de cultivar uma aspiração, mas de colocar em prática e perseguir, de forma consequente, um objetivo espiritual ou material que fosse. Havia, para isso, uma educação em vista da perseverança, e esta era considerada uma virtude, isto é, uma força que qualificava a existência.

Suspeito que hoje nos tenhamos desencontrado dela, numa cultura dominada pelo provisório, que usa e abusa dos contratos a prazo, ou menos do que isso, seja nas relações pessoais e íntimas, seja no quadro social mais amplo. Perseverar é suportar, manter firme a orientação porque se tem diante dos olhos uma meta a alcançar. Perseverar é acreditar que o presente mantém uma aliança (que não é fortuita, nem absurda) com o futuro: o gesto de semear liga-se com racionalidade à expectativa de colher. Mas o tempo em que vivemos quase se sente violentado quando ouve falar em metas. A acentuação do estado de incerteza torna-nos crédulos diante de soluções mágicas (não é por acaso que os jogos de azar prosperam) e descrentes da bondade dos caminhos longos e duros, como são os de cada pessoa e os de toda sociedade digna desse nome.

Em grego, a perseverança é *proskarteresis*, um composto de duas palavras: a partícula *pros* (com uma função de reforço e que significa "manter-se ainda" ou "ir além") e o substantivo *karteria* (que significa "constância"). Perseverar é, portanto, manter firmemente a constância, continuar numa via (que os antigos não hesitavam em designar como a via do bem) contrariando mesmo as maiores dificuldades. Não admira que o termo tenha sido tão amado pelos pensadores estoicos que o definiam como "aquele momento em que a virtude nos torna superiores às coisas que surgem como insuportáveis". E do mesmo modo, o gênio medieval de São Tomás de Aquino, que cunhou este dístico: "A perseverança é um estável e perpétuo permanecer no bem". Mas Tomás, com a sua compulsiva paixão pelas especificações, ajudou-nos a esclarecer ulteriormente a semântica da perseverança. Segundo ele, tanto a perseverança como a constância levam-nos a persistir em ordem ao bem, mas diferem segundo o tipo de dificuldades que nos são dadas enfrentar.

A constância ensina a resistência aos impedimentos exteriores, aqueles com os quais contamos e os que, sempre de fora, nos assaltam bruscamente. A arte da perseverança é outra. Tem a ver com as dificuldades internas, inerentes ao próprio caminho ou à decisão tomada. A arte da perseverança não é um combate de certos dias ou de certas estações: é, sim, um combate de todas as horas e de todas as etapas do que percorremos. E é um combate interno (consigo, contra si e por si) para manter, no tempo, quer a duração, quer a intensidade do que prometemos: uma tarefa, um desejo, um compromisso, uma palavra, uma amizade ou um amor.

X
A ARTE DA COMPAIXÃO

QUANDO UMA PALAVRA DESAPARECE do léxico de uma época pode pensar-se que ela deixou de ser significativa ou se tornou desnecessária. Não é o caso da palavra compaixão, mesmo se o seu uso perdeu, entre nós, insistência e centralidade. Mas também é preciso perceber a resistência à compaixão como um sintoma. Muitas vezes é uma atitude de defesa diante da vulnerabilidade com a qual deixamos de saber lidar. Os modelos propalados vão todos noutra linha: sucesso, bem-estar, saúde, competitividade... Farejamos no sofrimentos dos outros um sofrimento que pode vir a ser nosso e preferimos alienar-nos de qualquer maneira, fugindo ou fingindo. E, contudo, como recorda o filósofo Emmanuel Levinas, nada tem, neste mundo, mais sentido do que a compaixão.

A etimologia explica a compaixão (no latim, *cum--passio*) como um "sofrer com o outro". É uma forma de subtrair a dor à solidão que ela própria gera, dizendo àquele de quem nos aproximamos: "Você não está só, porque reconheço o seu sofrimento e tomo a sua dor, em parte, para mim". A dor sequestra-nos num isolamento, que pode atingir proporções inomináveis. A compaixão é essa peculiar relação humana que começa paradoxalmente aí, quando precisamos de cuidado e somos positivamente correspondidos por uma presença amigável. O grito do que sofre chega-nos frequentemente sem palavras: o silêncio indefeso diz tudo, a vida mais nua ainda do que o habitual, o olhar ferido pela adversidade. A compaixão torna-se escuta, consonância, responsabilidade pela vida, escolha solidária, gestos, permanência.

Há na compaixão a suspensão do julgamento sobre a vulnerabilidade do outro. Ela constrói-se como um consentimento oferecido ao outro tal como nos aparece, aqui e agora. A compaixão liberta-nos do peso do passado ou das idealizações do futuro: ancora-nos vitalmente neste instante, que é o que temos de viver. E, sendo uma prática de condivisão, a compaixão é também a sabedoria de resistir ao impulso da impossível fusão.

No exercício da compaixão também se aprende, por exemplo, o papel benéfico da "neutralidade terapêutica" e da distância afetuosa. Uma coisa é sofrer com o outro, outra é sofrer em vez do outro ou projetando-se nele. Compadecer-se significa sofrer o sofrimento do outro enquanto outro. Não se trata de uma simbiose. Sabemos que não nos cabe curar, mas que, tão ou mais importante do que a cura, é estarmos presentes.

A espiritualidade deve ser uma escola da compaixão. Na espiritualidade judaica, Elie Wiesel faz referência a preciosos preceitos hassídicos: "O justo não deve apenas se fechar no estudo do Talmude, do Zoar ou no seu livro de orações. Mas deve deixar essas tarefas e ir ao bosque cortar lenha para acender o fogo com que se aquecem os pobres, avizinhando-se assim do céu". Ou então: "É para a pessoa em necessidade que Deus deve olhar e não para vós. A vossa missão é ir em seu auxílio. Em nome de Deus. E, por vezes, até em vez de Deus". Na espiritualidade cristã há uma inesquecível história narrada por uma das primeiras biografias de São Francisco: "Certo dia em que passeava a cavalo na planície que fica perto de Assis, Francisco cruzou inesperadamente com um leproso. Experimentou um sentimento de horror intenso mas, lembrando-se da resolução de vida perfeita que tomara e de que devia, antes de mais, vencer-se a si mesmo, se queria ser "soldado de Cristo' (2Tm 2,3), saltou do cavalo para abraçar o infeliz. Este, que estendia a mão pedindo apenas uma esmola, recebeu, juntamente com o dinheiro, um beijo".

XI
A ARTE DA ALEGRIA

A TRADIÇÃO OCIDENTAL não deixa margens para dúvidas na ligação que faz entre sabedoria e pessimismo. Mais facilmente o taciturno passa por sábio do que o homem alegre. E um espírito torturado e reticente arranca maior adesão do que todos os que se esforçam por manter ativa a alegria. Há, de fato, um erro comum que leva a considerar a jovialidade como característica espontânea de caráter, que nada deve à maturação. Contudo, o que realmente experimentamos é o avesso disso, já que o pessimismo é, não poucas vezes, a resposta mais fácil à pressão do tempo. Certamente o pessimismo desempenha uma função purgatória em face das nossas derivas, mas um mundo gerido por pessimistas talvez não nos levasse sequer a levantar a âncora do porto.

Fala-se pouco da alegria, e entre tudo aquilo que assumimos como dever, como cotidiana tarefa, raramente a alegria está. O dever da alegria não nos é recordado tanto quanto devia. Por paradoxal que possa parecer, até a cultura do entretenimento aborda a alegria com enorme parcimônia, reconhecendo que verdadeiramente não é ela o seu objeto. A alegria tornou-se um tópico mais ou menos marginal, deixado ao sabor das circunstâncias, dos acasos e dos feitios. Mas a alegria também se aprende.

Definimo-nos como *homo faber*, o artesão, o fabricante, aquele que se realiza na ação. E esquecemo-nos de que esta fica incompleta se é mero ativismo, puro fazer. Bem-aventurados aqueles que vivem uma história e a podem contar. Bem-aventurados os que cultivam flores, mas param também diante delas, disponíveis e extasiados. O pior que pode acontecer é investir numa vida altamente produtiva, mas que perdeu a capacidade de espanto, a possibilidade da delícia. Ora, a alegria não nos vem quando interrompemos a vida: a alegria nasce quando pegamos num dos seus fios, seja ele qual for, e somos capazes de levá-lo criativamente ao seu momento culminante.

A alegria não se reduz a uma forma de bem-estar ou a um conforto emocional, embora se possa traduzir também dessa maneira. A alegria é, fundamentalmente, uma expressão profunda do ser: em bondade, em verdade, em beleza. E constitui uma expansão de si pessoalíssima. Não há duas alegrias iguais, como não há dois prantos iguais. A alegria é singular. Por um lado, tem uma expressão física, mas sem deixar de conservar uma natureza eminentemente espiritual. Há quem a refira como um "estremecimento", pois, como a haste estremece ao sopro da brisa ou no embalo da luz, nós colhemo-nos no silencioso e surpreendente estremecimento da vida. A alegria, se quisermos, é uma grafia do espírito que nos abeira do milagre e que se traduz tanto pela quietude como pelo riso, tanto pelo silêncio como pelo canto, tanto pela presença a si mesmo como pelo entusiasmo partilhado.

Um elemento que caracteriza a alegria é o fato de ela não nos pertencer. Ela atravessa-nos simplesmente e irrompe quando aceitamos construir a existência como prática de hospitalidade. Se insonorizamos o nosso espaço vital, se impermeabilizamos a atenção, a alegria não nos visita. Dias sem alegria são aqueles completamente sem memória. Chegamos ao fim e não lembramos um único gesto, uma única frase, não temos nada para contar. No fundo, não quisemos nada daquilo nem daqueles com quem cruzamos ou não fomos queridos; não permitimos que existisse (ou não nos foi permitido) um trânsito, um retorno; o coração não se abriu... Para aceder à alegria, porém, a vida tem de ganhar porosidade. Mesmo que o seu preço inclua a dor.

Frequentemente, um sofrimento deve escavar primeiro em nós a profundidade que depois a alegria irá encher.

XII
A ARTE DE IR AO ENCONTRO DO QUE SE PERDE

AS GRANDES ALTERAÇÕES não se fazem sem custo. A somar a ganhos, há sempre perdas, crepúsculos antecipados, parcelas omitidas, ausências e silêncios que depois pesam. Isso parece inevitável. A questão é saber como lidamos com o que perdemos. Com que grau de consciência observamos a vida, a nossa e a dos outros. E se nos conformamos ou não com lógicas implacáveis de substituição, ousando, pelo contrário, dinâmicas de reconhecimento e de reintegração. Talvez a utopia mais necessária esteja aí. Talvez a utopia não seja simplesmente uma pergunta feita ao futuro, mas sim uma interrogação sobre o modo como os nossos passados, remotos e próximos, podem ser convocados para um presente que aceite o risco da inteireza como lugar possível da sua reinvenção.

Imaginemos, por um momento, o processo complexo que foi a adaptação das sociedades orais à escrita. Em *Fedro*, de Platão, há um curioso debate que ilustra isso. O que é tido como o mitológico inventor da escrita, o deus egípcio Theuth, garante ali entusiasticamente que ela tornará os homens mais sábios e desenvolver-lhes-á a memória. O rei Thamus, que o escuta, contraria esse otimismo, defendendo o oposto: que a escrita produzirá esquecimento. Os homens deixarão de exercitar a memória por causa da confiança nos caracteres escritos, e não vão eles próprios praticar a lembrança interior. E conclui: "Tornar-se-ão muito informados e terão a aparência de quem sabe de várias coisas, quando na verdade serão ignorantes e de difícil convívio".

Hoje ninguém duvida dos benefícios da escrita e de que ela constituiu uma alavanca histórica de primeira grandeza. As sociedades orais, contudo, haviam desenvolvido formas de sabedoria, em parte perdidas, que seria importante recuperar. Um exemplo importante tem a ver com a arte de contar. Somos uma sociedade de leitores/receptores mais do que de narradores, e esse desequilíbrio sente-se. A maior parte do conhecimento que produzimos está infelizmente desligado da experiência.

O narrador, porém, toma aquilo que narra da experiência e transforma-a em experiência para aqueles que escutam a sua história. Num dos seus livros, Martin Buber conta esta história inesquecível: "O meu avô estava já paralisado. Um dia pediram-lhe para contar uma história, uma história que ele tivesse vivido com o seu mestre. Então, ele contou como esse homem santo que era o seu mestre tinha o costume de saltar e dançar enquanto rezava. E, ao contar isso, o meu avô levantou-se, e o relato envolveu-o de tal maneira que ele começou a saltar e a dançar para mostrar como o seu mestre fazia. Desde esse instante ficou curado".

Hoje voltamos a habitar uma grande alteração: da escrita passamos para a eletrônica. E não se trata só de tecnologia.

Estamos inaugurando uma nova forma de organização da experiência humana, menos estática do que a escrita, muito mais instantânea, global, acessível, envolvente. Não é por acaso que tem como grande metáfora a rede. Porém, há dimensões importantes que ficam ameaçadas e passamos a ter prova disso no nosso dia a dia. Profetizou McLuhan: "Na era do funcionamento em circuito, as consequências de qualquer ação ocorrem ao mesmo tempo do que esta". Uma das coisas que nos arriscamos a perder é, assim, o distanciamento, a margem de tempo e a de liberdade tão necessárias à ponderação. A expectativa é de que tudo flua sem pausas. Fala-se muito da urgência de fazer uma gestão eficaz da informação. Urgente, porém, seria reconhecermos que precisamos de tempo e de solidão para dormir sobre os assuntos. Muitas vezes, a almofada é melhor conselheira do que o ecrã.

XIII
A ARTE DA FELICIDADE

NÃO É ARGUMENTO que nos ocupe demasiado, a felicidade. Precisamos desesperadamente dela. O escritor Milan Kundera escreveu que só há realmente uma pergunta importante a colocar: Por que é que não somos felizes? Sabemos disso, mas fazemos tudo para colocar-nos a milhas de conversa assim. Preferimos atirar a felicidade para o plano do acaso ou das superstições, como se ela dissesse respeito à matemática caprichosa do destino, mais do que às contas que nos cabem. Conformamo-nos com o fato de ser um bem tão desejado quanto escasso. Olhamo-la, muitas vezes, como os mendigos olham para a lua, sem saber bem o que pensar dela e de nós, aceitando que a felicidade talvez não seja deste mundo, mas sem deixar de ficar confusos por vermos o seu brilho tão perto. Contudo, daí a aceitar que a felicidade supõe uma aprendizagem, um conhecimento ou uma competência é um passo que resistimos a dar. Essa resistência, certamente, tem muito de cultural. As nossas sociedades, que são de uma crendice beata em relação à técnica e a tudo o que dela provenha, praticam um agnosticismo militante em relação às possibilidades de cada ser humano construir-se e consumar-se de um modo feliz. Sobre a felicidade parece que não temos nada para dizer uns aos outros. Sobre o bem-estar, sim. Sobre a prosperidade, mesmo que mitificada, também. Mas nem nos apercebemos como na dança entre gerações persiste um vazio que atordoa: nós não sabemos se os nossos pais foram felizes, nunca conversamos sobre isso, nem os nossos pais venceram o pudor social, ou lá o que isso seja, para saber o que vivemos ou não, como nos sentimos, como fomos humanos afinal.

Ironicamente, nesta era da modernidade avançada em que estamos, à falta de outros mestres, são os publicitários que se dedicam a pensar a inapagável fome de felicidade inscrita no coração do homem. De fato, a publicidade não pretende responder às necessidades imediatas: estas são óbvias e o real pressiona-nos o suficiente em relação a elas. Não precisamos da publicidade para comprar um bilhete de metrô, o pão da manhã ou coisas assim. A publicidade dialoga com as necessidades últimas. Um bom publicitário elabora um frio, mas exato diagnóstico da alma do seu tempo. Sabe que os seres humanos mantêm soterrado a muitas braças de profundidade um sonho de felicidade com o qual desejam comunicar. Sabe que num tempo que virou costas à natureza, o ser humano não deixou de precisar do convívio com os grandes espaços, a céu aberto. Sabe que numa vida precária e a prazo nós continuamos a querer ardentemente olhar para caminhos a perder de vista e para paisagens definitivas.

Sabe que os cotidianos férreos e apinhados, que nos trazem voluntária ou involuntariamente sequestrados, não cancelaram do nosso coração a necessidade de palavras puras, de gestos essenciais, de experiências de gratuidade. Talvez um dia acordemos para aliviar os ombros dos publicitários dessa responsabilidade tão grande. E individualmente e em comunidades, encetemos nós próprios a preciosa tarefa de fundar uma humilde, imperfeita e inacabada ciência da felicidade.

XIV
A ARTE DA GRATIDÃO

A PSICANALISTA austríaca Melanie Klein conta esta história, que vale por mil palavras: "Era uma vez um homem que vivia invejando o vizinho. Certo dia, foi visitado por uma fada, que lhe ofereceu a extraordinária possibilidade de realizar naquele momento um desejo, por maior que fosse, mas com uma condição: 'Poderás pedir o que quiseres, desde que o teu vizinho receba o mesmo e em dobro'. O invejoso respondeu, então: 'O meu desejo é que me arranques imediatamente um dos olhos'". A obsessão de ver o outro prejudicado prevaleceu sobre qualquer vontade na ordem do bem, mesmo em relação a si próprio.

Estranho sentimento, a inveja. E, contudo, tão infiltrado nas relações humanas, tão abrasivo da vida interior, tão capaz de fazer em cacos ambientes (familiares, de trabalho, de amizade). Muitas vezes a inveja é vista como impotência, como se não houvesse nada a fazer, ou até condescendentemente, porque a verdade é esta: qualquer um de nós, em alguma ocasião, não está livre de incorrer nela.

O encolher de ombros, no entanto, é corroborar uma derrota. Desconfio que o nosso papel na vida uns dos outros não seja exatamente esse.

Kierkegaard explicava a inveja como uma admiração transtornada, e com isso toca na ferida. De fato, aquele que inveja reveste o seu objeto de uma admiração que tem pouco a ver com a realidade. Imagina que aquilo que o outro possui (inteligência, sucesso, beleza, bens, o que seja) lhe confere uma espécie de onipotência, o coloca a salvo da fadiga de viver, da sua turbulência e da sua dor, coisas inteiramente falsas. A desproporcionada felicidade que sonhamos que há nos outros obsidia-nos, e essa admiração adoecida é experimentada como uma perda pessoal e uma injustiça, numa modalidade tão avassaladora que suscita uma ânsia irreversível de destruição, de cancelamento do outro.

A inveja é o sentimento disruptivo em relação a outra pessoa que possui ou desfruta algo de desejável – e o impulso do invejoso é eliminar ou estragar o que pensa ser a fonte daquela alegria. O outro deixa de ser um parceiro e torna-se um rival. Deixa de ser uma existência autônoma e diferenciada para andar, na maior parte dos casos sem saber, enredado nos dramas, ficções e combates fantasmáticos do eu. Deixa de constituir a possibilidade criativa de um encontro para viver capturado num ressentimento que alaga tudo de mesquinhez e sombra.

Não sei se Melanie Klein tem ou não razão quando refere que o objeto primário de toda inveja foi o seio nutridor materno. Para o bebê que fomos, o seio da mãe, com o fluxo ilimitado de leite e o amor que ele exalava, possuía tudo o que éramos capazes de desejar. Talvez na mente da criança exista a fantasia de um peito inexaurível e sempre presente, e a inveja irrompa pelo simples motivo de não termos sido amamentados adequadamente. Cada um traz em si um quinhão de falhas de amor, e a questão é como as reconhece, integra e transfigura. A própria criança tem de aprender a ver a mãe não apenas como fonte de alimento e a controlar a sua voracidade. Quando a boa relação se estabelece, predomina o desejo de preservar em vez de destruir e secar.

O contrário da inveja é a gratidão, e esta está intimamente ligada à confiança, no bem que se desenvolve nos outros, no bem que o outro é em si mesmo (independentemente de mim) e no bem que eu recebo dele. A experiência de gratificação que o outro constitui torna-se, então, uma escola de generosidade: passamos a ser capazes de compartilhar com os outros o nosso dom. A inveja é uma reivindicação estéril e infeliz. A gratidão constrói e reconstrói o mundo, dentro e fora de nós.

XV
A ARTE DE ESCUTAR O NOSSO DESEJO?

HÁ PERGUNTAS que estão desde sempre à nossa espera. Podemos evitá-las, tentar passar ao lado ou desconversar por longo tempo, mas dentro de nós sabemos que esse esconde-esconde tem um preço. Subtraí-las é subtrairmo-nos e faltarmos ao chamado que a vida nos faz. Uma dessas perguntas prende-se com o desejo, e na forma mais incisiva e pessoal formula-se assim: "Qual é o meu desejo?". O meu desejo profundo, aquele que não depende de nenhuma posse ou necessidade, que não se refere a um objeto, mas ao próprio sentido. "Qual é o meu desejo?" O desejo que não coincide com as cotidianas estratégias do consumir, mas sim com o horizonte amplo do consumar, da realização de mim como pessoa única e irrepetível, da assunção do meu rosto, do meu corpo feito de exterioridade e interioridade (e ambas tão vitais), do meu silêncio, da minha linguagem.

A sociedade de consumo, com as suas ficções e vertigens, promete satisfazer tudo e todos, e falaciosamente identifica a felicidade com o estar saciado. Saciados, cheios, preenchidos, domesticados – assim estamos, resolvidas na festa do consumo as nossas necessidades (ou o que pensamos que sejam). A saciedade que se obtém pelo consumo é uma prisão do desejo, reduzido a um impulso de satisfação imediata. O verdadeiro desejo, porém, é estruturalmente assinalado por uma falta, por uma insatisfação, que se torna princípio dinâmico e projetivo. O desejo é literalmente insaciável porque aspira àquilo que não se pode possuir: o sentido. Nessa linha, o desejo não se sacia, mas aprofunda-se.

Por tudo isso, a pergunta "qual é o meu desejo?" não a encontramos sem consentir nessa viagem que só começa quando ousamos adentrar em nós mesmos.

Quando, por força de razões ponderosas ou pela ironia do que nos parece apenas poeira displicente de um acaso, nos dispomos finalmente a compreender o que está em nós desde o princípio, mas habitando o outro lado dos nossos espelhos. E, como dizia Françoise Dolto, quando chega essa hora, "quando um qualquer ser humano sente um desejo suficientemente forte para assumir todos os riscos do seu próprio ser, é porque está pronto a honrar a vida de que é portador".

O que acontece então? Damos por nós a interrogar, a refletir, a hesitar, a elaborar interiormente a nossa experiência, a olhar de outra maneira para determinados momentos. Talvez nos sintamos inesperadamente próximos daquilo que Merleau-Ponty deixou escrito: "Solidão e comunicação não devem ser vistos como os dois termos de uma alternativa, mas duas faces de um único fenômeno". Talvez arrisquemos pela primeira vez ultrapassar os circuitos rotineiros, a cartografia sonolenta e supostamente confortável onde enclaustramos a vida.

Particularmente difícil será entrar em contato com o sofrimento submerso e abraçar aquela dor que nos custa reconhecer. A não sei quantas braças de profundidade situa-se uma dor nunca reparada, mas que condiciona toda a superfície. Identificar e cuidar dessa dor é condição para sermos nós próprios e podermos entender também a dor que os outros transportam, tocando a nossa e a sua verdade.

O momento da aceitação de si, com lacunas e vulnerabilidades, é uma etapa crítica, dilacerante até, mas abre-nos à transformação e fecundidade possíveis, abre-nos à enunciação do desejo. E, não o esqueçamos, quantas vezes a vulnerabilidade acolhida se torna a janela por onde entra a inesperada transparência da graça. Cada pessoa é um *homo desiderans*. Mas temos amiúde de perguntarmo-nos sobre o que é feito do nosso desejo.

XVI
A ARTE DE MORRER

É TÃO ESTRANHO que entre a avalancha de saberes úteis e inúteis que acumulamos uma vida inteira não esteja este: aprender a morrer. A contemporaneidade fez da morte o seu tabu, o mais temido e ocultado, e deixa-nos completamente impreparados para enfrentar a naturalidade com que a vida a abraça. A morte surge como uma interrupção, um interdito de linguagem mais inconveniente do que uma asneira, uma dor para viver às escondidas, uma intromissão com a qual em nenhum momento contamos. Sobre a morte não sabemos o que dizer, nem o que pensar. E isso constitui, de fato, uma falta enorme.

Montaigne dizia que não morremos por estar doentes, morremos por estar vivos. Talvez seja por aí que devamos recomeçar, religando o que hoje parece tão inconciliável. A morte é uma expressão da vida. A mais enigmática, impenetrável e intraduzível das expressões, certamente. Mas é no interior da vida que temos de compreendê-la. Colhendo o seguinte: ao recolocar-nos dramaticamente perante o mistério que somos, a morte como que resgata a própria existência. É que podemos levar uma vida inteira sem pensar no que ela é: esta surge-nos como um dado óbvio, esventrado de qualquer interrogação, uma certeza assente, sem mais. E não é assim.

A morte pode representar no itinerário pessoal, e nos nossos caminhos entrecruzados e comuns, a oportunidade para olharmos a vida mais profundamente. A vida não é só este tráfico de verbos ativos, esta marcha emparedada e sonâmbula, este vogar entre dever e haver, esta contabilidade no lugar da metafísica. A vida não é só isso. A morte amplia-a. Revela-lhe um fundo que não vemos. São, por isso, tão necessários os versos de Rilke: "Senhor, dá a cada um a sua própria morte. / Um morrer que venha dessa vida / que reparte por nós amor, sentido e aflição./ Porque nós somos apenas a casca e a folha. / A grande morte, que cada um traz em si,/ é o fruto à volta do qual tudo gira".

Temos de aprender a estar com os outros quando chegar o seu momento, desenvolvendo capacidades até então negligenciadas. Temos de aprender a cuidar da dor e a minorá-la, mas não só com comprimidos: também com o coração, com a presença, com os gestos silenciosos, o respeito, com uma expectativa de coragem. Os doentes não estão à procura de indulgência. Temos de aprender a embalar a fragilidade, a dos outros e a nossa própria, ajudar cada um a reencontrar-se com as coisas e com as memórias certas, a não desesperar, a encontrar um fio de sentido no que está vivendo, por ínfimo e trêmulo que seja. Temos de aprender a ser suporte, temos de querer eficiência técnica mas também compaixão, temos de reconhecer o valor de um sorriso, ainda que imperfeito, em certas horas extremas. À beira do fim há sempre tanta coisa que começa.

Uma das lembranças que me são mais queridas provém, por exemplo, do último internamento do meu pai. Recordo-me de, por dias e dias, andar de mãos dadas com ele, muito devagarinho, no grande corredor do hospital. Eu passava-lhe toda a força que podia com a minha mão. Mas a sua mão era maior do que a minha. E sei que ainda é.

XVII
A ARTE DE NÃO SABER

CREIO QUE, nas próximas décadas, e nas seguintes, e ainda nas seguintes, por muitos milênios, a humanidade saberá o que pensar. Não faço parte do exclusivo clube dos pessimistas históricos; os discursos sobre a decadência entediam-me; do mesmo modo que, devo confessar, os otimismos desconcentram-me. As linhas com que a história se cose não são descendentes, nem ascendentes: são linhas apenas; aquelas que couberam viver a cada tempo e a cada geração. E a coisa mais importante é que as linhas persistem de infinitas maneiras, prevalecendo tanto a catástrofes como a sucessos (e Deus sabe como é difícil renascer depois de uns e de outros!). Creio, por isso, que a humanidade do futuro saberá certamente o que pensar. Não é difícil imaginar que se desenvolverão os saberes e por novos âmbitos, e que muitos deles serão uma surpresa completa para nós, nem que seja porque estiveram todo tempo debaixo do nosso nariz e não os aproveitamos. Talvez não fosse ainda o tempo deles. Ou talvez fosse, e nós falhamos redondamente – fato que precisamos reconhecer.

Não é difícil conjeturar que surgirão novas gramáticas para compreender e intervir no mundo, e que algumas delas nos confirmarão e outras se oporão ao que nós fomos, reinventando radicalmente métodos e propósitos. Mas isso, no fundo, que importa? De pouco serve agarrarmo-nos aos nossos pontos de chegada, como se eles fossem os únicos legítimos, quando deveríamos antes começar a bendizer o futuro que nos declare ultrapassados. Bendito o futuro que se ria de nós por termos confundido tudo: a deslocação com a viagem, a aproximação com o encontro, a posse das coisas com o seu uso, a amontoação dos bens com o seu gozo saudável. Bendito o futuro que nos critique por termos produzido tanto e distribuído tão mal, por termos ido à lua e resistirmos tanto, mas tanto a chegar ao conhecimento do nosso próprio coração. Bendito o futuro em que as tecnologias deixem de ser um fetiche nas mãos do mercado, como agora em grande medida o são, e se tornem um instrumento mais bem ajustado à vida de todos, como o foi, por exemplo, o arado ou a roda. Bendito o futuro que nos inspire modos de existência mais essenciais, mais atentos aos outros humanos, mas também às restantes criaturas que conosco partilham esta misteriosa aventura, e das quais sabemos tão pouco. O futuro encontrará o espaço e a expressão do seu pensar.

Mas há uma coisa que desejo muito: que a humanidade que venha a habitar isso que para nós é o futuro sinta muitas vezes que não sabe o que pensar. Isto é, que se deixe desconcertar pelo esplendor inexplicável de cada amanhecer; que se conserve sem palavras perante o mar, como aqueles que pela primeira vez o olharam; que se sinta irresistivelmente atraída pela variação de cores, de volumes e de odor da paisagem diurna e noturna; que estremeça ao primeiro contato com a água; que mantenha a capacidade de espanto perante o modo como o vento arrasta as nossas vozes felizes na distância; que olhe do mesmo modo desprevenido a chuva, os campos alagados em silêncio, as coisas mínimas e amplas, o tráfico das nuvens, a disseminação das papoulas que nos campos se parecem a palavras que sonham.

Desejo ardentemente que a humanidade do futuro saboreie o embaraço por aquilo que permanece em aberto não por insuficiência, mas por excesso, e não se apresse em catalogar, em descrever ou aprisionar. Que a sua forma de compreensão seja um outro modo de manter intato (ou mesmo de ampliar) o espanto.

PARTE 2

NOVAS BEM-AVENTURANÇAS PARA A FAMÍLIA

OS ANOS PASSAM, e com eles os acontecimentos, as estações diferenciadas, as múltiplas etapas que compõem a vida. Vamos sendo os mesmos e, simultaneamente, tornamo-nos outros. Gerimos um patrimônio afetivo feito de alegrias e esperanças, mas também de algumas feridas e embaraços. Pode até dar-se o caso de sentirmos que o edifício de uma inteira vida ameaça agora sucumbir. É preciso, por isso, que as bem-aventuranças venham em nosso socorro. A bem-aventurança experimenta-se quando permitimos que a força da graça reconfigure a fragilidade da vida. Ela tem a mesma natureza do amor, isto é, é dialógica, dual, tensional. É fruto da relação. É obra de uma aprendizagem espiritual permanente. Temos de ousar interpretar o caminho da família em chave de bem-aventurança.

BEM-AVENTURADAS AS FAMÍLIAS QUE ENTENDEM A SUA MISSÃO COMO UMA ARTE DE HOSPITALIDADE

O amor é uma forma incondicional de hospitalidade. Na família experimentamos humildemente que não somos donos de nada nem de ninguém: somos testemunhas, elos de uma corrente, companheiros. Acolhemo-nos na gratuidade e só aí. Bem-aventurada a família que não tem a reivindicação de posse que, muitas vezes, é a do amor exageradamente narcísico. Os seus laços são os de uma intimidade que se pode experimentar, mas não dominar; que se pode escutar profundamente, mas sem deter. A ansiedade de dominar é um equívoco. A companhia é outra coisa: é aceitar que somos uns para os outros passagem, epifania, revelação que, na prática do amor, se aprofunda e fortalece. Aceitar, aceitar – que exercício tão difícil, mas absolutamente decisivo para a edificação da família. Aceitar a noite e o nada, o silêncio e a demora, aceitar a graça e fraqueza, a diferenciação e o desapego. E de tudo fazer caminho, na esperança, sem nunca desistir de ninguém.

Tomemos uma imagem que nos é oferecida por um autor contemporâneo, Luciano De Crescenzo: "Somos anjos de uma asa só. Temos de permanecer abraçados para poder voar". Nessa sugestiva imagem há dois princípios que sobressaem: o *princípio da incompletude*, cada um de nós possui uma asa apenas; e o *princípio da comunhão*, que garante que abraçados podemos voar. O que é a experiência de uma família? É a maturada e criativa conjugação desses dois princípios. Com cada homem e cada mulher vem ao mundo algo de novo que nunca antes existiu, algo de inaugural, mas é na construção da reciprocidade que de forma consistente o podemos descobrir. O "eu" tem imperiosa necessidade de ser olhado amorosamente por um outro, de ser acolhido para aventurar-se no risco de ser. Para haver um "eu" tem de existir um "tu". A vida não se resolve isoladamente. Sozinhos, ficamos inclusive aquém de nós próprios, pois cada um de nós constrói-se no encontro e na relação. Precisamos desse reconhecimento mútuo: um reconhecimento não fundado no confronto ou na competição, mas na gratuidade e no afeto.

Do *princípio da incompletude* transitamos assim muito naturalmente para o *princípio da comunhão*: "abraçados podemos voar". A comunhão supõe certamente decisão, esforço e caminho. Porém, não é propriamente de uma conquista que se trata, mas do espanto inesgotável e comum, da abertura, da dádiva, da radical hospitalidade que um oferece ao outro. Isso é algo que surge de forma muito clara nos versos seguintes de Rainer Maria Rilke: "Se me tapares os olhos: ainda poderei ver-te./ Se me tapares os ouvidos: ainda poderei ouvir-te./ E mesmo sem pés poderei ir para ti./ E mesmo sem boca poderei invocar-te". O fundamental concretiza-se numa gratuidade infatigável, numa geografia sem condições nem reservas. O amor não se explica: implica-se. Acontece sem porquês. É uma voluntária hipoteca, um sigilo de sangue, um entrelaçamento vital. Apenas apreende o amor aquele que sabe, por experiência, o que significa amar. Os que se amam tornam-se cúmplices. E cúmplices não apenas uns dos outros. Tornam-se cúmplices de Deus.

BEM-AVENTURADAS AS FAMÍLIAS QUE DIARIAMENTE COMBATEM O ANALFABETISMO DOS AFETOS

No célebre filme *Cenas da vida conjugal*, de Ingmar Bergman, há uma personagem que diz a dada altura: "Vou revelar-te uma coisa talvez trivial. Em matéria de sentimentos somos analfabetos. E o mais triste é que isso não é verdade apenas para ti ou para mim, mas para quase todos. Aprendemos o que há a aprender sobre o corpo humano, sobre a agricultura no fim do mundo, sobre o pi grego ou como diabo se chama... Mas ninguém se dá conta de que deveríamos aprender primeiro alguma coisa sobre nós próprios e a nossa alma...". Bem-aventurada a família que se propõe a combater diariamente esse analfabetismo. Os membros de uma família têm de tornar-se naturalmente (e ainda mais, sobrenaturalmente) grandes artesãos do afeto, num amor que nos aceita por inteiro, que abraça o que somos e o que não somos; o que nós fomos e o que nos tornamos. Num amor que ama as nossas possibilidades infinitas e indefinidas; os nossos desabrochares esperançosos e as nossas quedas frustrantes; as nossas liberdades insensatas e a nossa timidez hesitante. Num amor que é, por si, uma arte da confiança que continuamente relança as histórias.

BEM-AVENTURADAS AS FAMÍLIAS QUE COMPREENDEM A IMPORTÂNCIA DO INÚTIL

Por que é o inútil tão importante? Vivemos num mundo em que tudo precisa de ser caucionado por uma qualquer utilidade e isso nos desvia de um viver gratuito, disponível e autêntico. Só a inutilidade nos dá acesso à polifonia da vida, na sua variedade, nos seus contrastes, na sua realidade densa, na sua surpresa e na sua inteireza. "Foi o tempo que perdeste com a tua rosa, que tornou a tua rosa tão importante para ti", explicava Saint-Exupéry. Quer dizer: temos de aceitar "perder" para que a relação valha. E perder é mesmo perder: não só tempo, mas também representações prévias, aspirações, projetos, utilidade, vida. O objetivo é poder alcançar aquela plena liberdade da definição que Montaigne propõe: "Se me intimam a dizer por que o amava, sinto que só o posso exprimir respondendo: 'Porque era ele. Porque era eu'".

As relações familiares não podem reduzir-se à gestão do útil, à gestão do que se vê de fora, dominadas por um pragmatismo epidérmico. É preciso perceber como a inutilidade abre clareiras favoráveis à revelação, à palavra, ao verdadeiro conhecimento, ao encontro.

BEM-AVENTURADAS AS FAMÍLIAS QUE CULTIVAM UMA ARTE DA LENTIDÃO

Talvez precisemos voltar a essa arte tão humana que é a lentidão. Os nossos estilos de vida parecem irremediavelmente contaminados por uma pressão que não dominamos; não há tempo a perder; queremos alcançar as metas o mais rapidamente que formos capazes; os processos desgastam-nos, as perguntas atrasam-nos, os sentimentos são um puro desperdício: dizem-nos que temos de valorizar resultados, apenas resultados. À conta disso, os ritmos de atividade tornam-se impiedosamente inaturais. Cada projeto que nos propõem é sempre mais absorvente e tem a ambição de sobrepor-se a tudo. Os horários avançam impondo um recuo da esfera privada. E mesmo estando aí é necessário permanecer contatável e disponível a qualquer momento. Passamos a viver num *open space*, sem paredes nem margens, sem dias diferentes dos outros, sem rituais reconfiguradores, num contínuo obsidiante, controlado ao minuto. Damos por nós ofegantes, fazendo por fazer, atropelados por agendas e jornadas sucessivas em que nos fazem sentir que já amanhecemos atrasados. Deveríamos, contudo, refletir sobre o que perdemos, sobre o que vai ficando para trás, submerso ou em surdina, sobre o que deixamos de saber quando permitimos que a aceleração nos condicione desse modo. Passamos pelas coisas sem as habitar, falamos com os outros sem os ouvir, juntamos informação que nunca chegamos a aprofundar. Tudo transita num galope ruidoso, veemente e efêmero. Na verdade, a velocidade com que vivemos impede-nos de viver.

Uma alternativa será resgatar a nossa relação com o tempo. Por tentativas, por pequenos passos. Ora, isso não acontece sem um abrandamento interno. Precisamente porque a pressão de decidir é enorme, necessitamos de uma lentidão que nos proteja das precipitações mecânicas, dos gestos cegamente compulsivos, das palavras repetidas e banais. Precisamente porque nos temos de desdobrar e multiplicar, necessitamos reaprender o aqui e o agora da presença, reaprender o inteiro, o intacto, o concentrado, o atento e o uno.

BEM-AVENTURADAS AS FAMÍLIAS QUE NÃO DEITAM FORA A CAIXA DOS BRINQUEDOS

Acontece, por vezes, que, à medida que os filhos crescem, desaparece das famílias a caixa dos brinquedos. As casas tornam-se (um pouco) mais ordenadas, aderem a uma rotina perfeita que durante anos não tiveram, numa respeitabilidade estável, segura de si. Principia-se então uma estação de tréguas, sem as surpresas que desesperavam: a chuva de peças órfãs dos seus jogos, os bonecos a ressurgirem onde absolutamente não deviam, o inofensivo módulo encontrado pelo canalizador como única explicação para a monumental avaria. Primeiro respira-se de alívio, portanto. Mas depois, estranhamente, nem tanto. Pois há uma hora em que se percebe a falta que nos faz a caixa dos brinquedos.

É nessa caixa que se encontram os símbolos, as brincadeiras, os risos distendidos, as férias em família, os aniversários, os jogos intermináveis à volta da mesa com velhos e novos contagiados pelo mesmo entusiasmo, a contemplação carinhosa sem nenhuma finalidade. É nessa caixa que estão as histórias disparatadas e sábias que contamos pela vida afora, aí se conservam os odores, os registos, as palavras de uma canção que cantamos muitas vezes e depois esquecemos, a primeira bicicleta, os livros que nos ofereceram quando ainda não sabíamos ler, os cromos, o silêncio da intimidade, a viagem à aldeia, as conversas à janela voltados para a noite.

Nessa caixa está a arte de fazer tempo, de perdê-lo para que se torne mais nosso, permitindo a imaginação, o sentido lúdico, a alegria. A caixa dos brinquedos não serve para nada, e por isso dá-nos razões para viver.

Não nos damos conta do empobrecimento que representa, mas muitos dos conflitos dolorosos que transportamos mais tarde, vida afora, têm aí a sua origem. Lembro-me de uma história que uma querida amiga me contou. O seu pai era juiz na Itália. Um homem severo e absorto, sem tempo a desperdiçar, sem grande vontade de levantar os olhos do seu importante mundo, ainda menos para escutar as minudências por que passavam as crianças. Ela cresceu, formou-se e, durante os primeiros anos, chegou a trabalhar como secretária do pai. Essa proximidade em nada alterou o quadro que conhecia: continuavam sendo dois estranhos, com uma relação puramente formal, e um mundo submerso de coisas por dizer. Ela conta que um dia fizeram uma viagem de trabalho a uma das ilhas gregas. Foram de barco, e podemos imaginar os longos tempos de travessia. De madrugada, porém, sobressaltada, ela percebeu que o pai estava no seu camarote, a acordá-la.

Fixou-o sem perceber bem o que estava se passando. E ele disse-lhe: "Vem ver o sol que está nascendo. É enorme, enorme. Vem depressa. Vais gostar. Vem". Muitos anos depois, o pai já tinha morrido, essa história tinha-se passado há décadas, e a minha amiga confiava-me: "Se ele tivesse feito pelo menos mais uma coisa dessas, pelo menos mais uma, eu ter-lhe-ia perdoado tudo".

BEM-AVENTURADAS AS FAMÍLIAS QUE ARRISCAM FAZER UM BOM USO DAS CRISES

Atravessar etapas de crise não é necessariamente mau: permite-nos um olhar a que ainda não havíamos chegado, permite-nos escutar não apenas a vida aparente, mas a insatisfação, a sede de verdade e de sentido, e passar a assumir uma condição mais ativa e assumida. Mudar não significa tornar-se outro, mas fazer uma experiência mais autêntica de si. No fundo, só mudamos quando nos encontramos. Não nos escutarmos, até o fim, isso sim é desperdiçar uma preciosa ocasião para aceder àquela profundidade que pode devolver sentido à existência. Talvez precisemos descobrir que, no decurso do nosso caminho, os grandes ciclos de interrogação, a intensificação da procura, os tempos de impasse, as experiências de crise podem representar verdadeiras oportunidades. Quanto mais conscientes dos nossos entraves, limites e contradições, mas também das nossas forças e capacidades, tanto mais podemos investir criativamente no sentido da nossa identidade. Isso implica uma mudança de ponto de vista sobre nós próprios e o mundo, e advém daí naturalmente uma instabilidade diante dos modelos que se tinham por adquiridos. Os partos indolores são uma mistificação. Quem tem que nascer prepare-se para esbracejar.

Mas há um momento em que aprendemos que vale mais prestar atenção naquilo que em nós está germinando, num lento e invisível (e inaudível) processo de gestação, do que naquilo que perdemos.

Em 1999, uma tempestade varreu drasticamente a Europa. No rastro de desolação, estima-se que terão ficado tombadas cerca de trezentos milhões de árvores. Na França, nas semanas que se seguiram, os gabinetes governamentais elaboraram aprofundados programas de reflorestação, procurando ao mesmo tempo tirar partido do acidente, pois a floresta seria por eles reconstruída com uma racionalidade mais adequada. Mas, quando passaram ao terreno, os engenheiros florestais aperceberam-se que a floresta tinha começado a regeneração mais rapidamente do que supunham. E inclusive, contrariando os planos técnicos, a floresta havia encontrado configurações novas, muito mais vantajosas do que aquelas oficiadas pela abstrata geometria dos gabinetes.

BEM-AVENTURADAS AS FAMÍLIAS QUE DIZEM DE SI MESMAS: "SOMOS UM LABORATÓRIO PARA A ALEGRIA"

Tolstói começa o seu romance Anna Karenina dizendo que "Todas as famílias felizes se parecem, mas cada família infeliz é infeliz à sua maneira". A felicidade, porém, é tão singular como o sofrimento. Se o modo de chorar é pessoalíssimo, também o é o modo de rir. Diz-nos Jesus no Evangelho de São João: "Eu quero que a alegria esteja em vós e a vossa alegria seja completa" (Jo 15,11). E: "Ninguém vos poderá roubar a vossa alegria" (Jo 16,22). Há, portanto, uma alegria que nada nem ninguém nos pode tirar, e que constitui o horizonte da nossa vida. É fundamental que a família coloque os olhos no horizonte e sinta que é para a alegria que é chamada. É para a roda dos eleitos. E, por isso, desloca infatigavelmente o seu coração do peso da sombra para a leveza da luz. Na verdade, somos atravessados, somos conduzidos, somos levados pela mão de uma promessa, e essa promessa é a alegria. A alegria é sempre um dom. A alegria nasce quando eu aceito construir a minha vida numa cultura de hospitalidade. Se insonorizo o meu espaço vital, a alegria não me visita.

Em vez de crescermos na severidade, na intransigência, na indiferença, no sarcasmo, na maledicência, no lamento, caminhemos esperançosamente no sentido contrário. Cresçamos na simplicidade, na gratidão, no despojamento e na confiança. A alegria tem a ver com uma essencialidade que só na pobreza espiritual se pode acolher.

Bem-aventuradas as famílias que dizem de si mesmas: "Somos um laboratório para a alegria"; "Somos uma escola do sorriso"; "Somos um ateliê para a esperança"; "Somos uma fábrica para o abraço e para a dança".

Rua Dona Inácia Uchoa, 62
04110-020 – São Paulo – SP (Brasil)
Tel.: (11) 2125-3500
paulinas.com.br – editora@paulinas.com.br
Telemarketing e SAC: 0800-7010081